JERRY LACHT IN HARLEM

KURZGESCHICHTEN

10858166

JOSEF REDING

JERRY LACHT
IN HARLEM

KURZGESCHICHTEN

GEKÜRZT UND VEREINFACHT FÜR
SCHULE UND SELBSTSTUDIUM

Diese Ausgabe, deren Wortschatz nur die
gebräuchlichsten deutschen Wörter umfasst,
wurde gekürzt und in der Struktur vereinfacht und ist damit den Ansprüchen des
Deutschlernenden auf einer frühen Stufe
angepasst.

**Dieses Werk folgt der reformierten
Rechtschreibung und Zeichensetzung.**

Herausgeber: Ulla Malmmose
Bearbeitet von: Stefan Freund
Illustrationen: Oskar Jørgensen

Umschlagentwurf: Mette Plesner
Umschlagillustration: Pawel Marczak

Copyright 1957 © Erstauflage by
Georg Bitter Verlag, Recklinghausen
ASCHEHOUG A/S (Egmont)
ISBN Dänemark 87-11-09194-0

Gedruckt in Dänemark von
Sangill Grafisk Produktion, Holme Olstrup

JOSEF REDING
(1929)

Josef Reding wurde am 20.3.1929 in Castrop-Rauxel geboren. Kurz vor Kriegsende wurde er Soldat. Er studierte Germanistik, Psychologie, Anglistik, war Werkstudent. Machte Studentenaufenthalte in den USA. Er lebt heute in Castrop-Rauxel.

Josef Reding ist ein vielseitiger Erzähler, geschätzt durch seine an amerikanischen Vorbildern geschulten, meist an eigenes Erleben anknüpfenden Shortstorys. Auch ist er bekannt als Jugendbuch-, Hörspielautor und Übersetzer. Die hier vorliegenden Kurzgeschichten stammen aus dem 1957 erschienenen Buch »Nennt mich nicht Nigger«.

WERKE

Friedland, Roman, 1956; Nennt mich nicht Nigger, Kurzgeschichten, 1957; Papierschiffe gegen den Strom, Kurzgeschichten, 1963; Die Anstandsprobe, Erzählung, 1973; Schonzeit für Pappkameraden, Kurzgeschichten, 1977; Kein Platz in kostbaren Krippen, 1979; Menschen im Müll, 1983; Und die Taube jagt den Greif, 1985.

Inhalt

Jerry lacht in Harlem

Du kannst von der *Freiheitsstatue* aus mit dem Fotoapparat ein Bild von New York machen. Das New York, das du kennst, das Lesebuch-New-York: Empire State Building und Radio City Music Hall, Manhattan und den Broadway. Jetzt drehe den Fotoapparat nach links. Acht Zentimeter nach links nur, dann siehst du Harlem. Harlem ist auch New York. Aber Harlem ist das andere New York, das schwarze New York, das schmutzige New York. Das New York der *Slums*. Das New York der Neger. Setze ein Teleobjektiv auf deinen Fotoapparat, sieh hindurch. Da ist Harlems 135. Straße. Ein paar alte Autos stehen herum. Alte Zeitungen liegen auf der Straße. Drüben, ganz allein, ein Polizist. Wie alle Polizisten in Harlem, zu Pferde. Zwei Negerfrauen *streiten* sich. Ein *Shoeshineboy* zählt ein paar Cents. Ein Betrunkener liegt vor Tressfields Drugstore. Ein Zeitungsblatt fliegt durch die Luft. Am *Bordstein* sitzen zwei Jungen. Sie singen: »As I walked out in the streets of Laredo ...!« Das ist Harlem. Und hier spielt unsere Geschichte. Jerry war vier Jahre alt, als er die Welt sehen wollte. Die Welt war nicht weit weg. Nicht

die Freiheitsstatue

---

die Slums, sehr schlechte Wohngegenden
streiten, anderer Meinung sein
der Shoeshineboy, der Schuhputzer
der Bordstein, siehe Zeichnung auf Seite 11

mehr als zweieinhalb Kilometer vom Hinterhof der
»Select o'matic-Company.«

Es war abends um acht Uhr, als Jerry beschloss,
mehr zu sehen als die 135. Straße.

5   Seine Mutter hatte ihn gerade gerufen. Und seine
Mutter rief ihn nur einmal am Tage. Dann musste Jerry ins *Kisten*bett gehen. Jerry tat es ungern. Er hatte so

---

die Kiste, kleiner Kasten

— der Bordstein

wenig Platz darin neben den fünf Geschwistern. Horace, der schon groß war, hustete immer so stark nachts und *spuckte* dann in die graue Decke. Auch hatte Jerry nachts Hunger. Am Tage nicht. Dann fand er schon mal einen schlecht gewordenen Apfel vor Lesterlys 5 Gemüse-Shop oder er konnte zur Granny gehen, die immer eine Hand voll Popcorn hatte. Die machten

---

spucken, etwas durch den Mund von sich geben

den kleinen Jerry so schön satt. Jetzt! Mummy rief noch einmal. Jerry lief aus dem Hinterhof hinein in das Abendrot, das in die 135. Straße fiel. Am Globe-Kino blieb er stehen. Das Bunt der Bilder. Aber dann
5 rannte er weiter, der Welt entgegen, dahin, wo die hohen Häuser bis an den Himmel gehen.

Doch bevor Jerry die Welt erreicht hatte, lief er in einen Schrei hinein. In einen hohen spitzen Schrei, dem dunkle Stimmen folgten: »Go go go go go go ...!«
10 Das hörte Jerry. Und dann sah er: den Conally, der ihm vor fünf Tagen gezeigt hatte, wie man *Mundharmonika* spielt.

Conally konnte wunderschön spielen, ohne seine Hände dabei zu gebrauchen. Er hielt die Mundharmo-
15 nika nur zwischen seinen dicken roten Lippen und schon kam eine Melodie aus dem kleinen blitzenden Ding. Conally spielte jetzt nicht Mundharmonika. Conally rannte. Die Lippen, die die Mundharmonika gehalten hatten, waren aufgeschlagen. Blut lief von
20 dem schwarzen Gesicht über das Soldatenhemd, das Conally behalten durfte, als er mit durchschossener Schulter aus Okinawa wiederkam. Conally fiel hin. Neben dem grünen Auto lag er. Sieben Meter von Jerry entfernt. Dann schlug einer der Weißen zu. Die
25 anderen schrien immer noch »go go go«. Er schlug

die Mundharmonika

Conally mit der *Faust* auf den Kopf und auf den Mund und wieder und wieder. Ein anderer schrie: »Du schwarzes Schwein! Halstuch stehlen, was? – Werde dir zeigen! Du – schwarzes – Schwein! Halstuch – steh... len!« Und jedes Mal trat der Weiße den Conal-ly. Und dann lief Jerry weg. Vor seinen Augen tanzte die Faust, die auf Lippen schlug, die so schöne Melo-dien spielen konnten. Jerry rannte. Er wollte nicht mehr die Welt sehen. Die Faust war die Welt. Jerry wollte zurück. Nach Harlem. In den Hinterhof von »Select o'matic«.

Als Jerry sechs Jahre alt war, hatte er noch mehr Hunger. Aber manchmal bekam er etwas Besseres als einen Apfel oder einen Mund voll Popcorn. Jerry war jetzt in der Buster*bande*. »Du darfst alles tun, wenn es einem Weißen *schadet*.« Das war der Satz, den Grand-pa Buster seine Harlemer Jungenbande lehrte. Und die Busterboys lebten danach. War das etwa kein Schaden, als sie den *Lastwagen* mit den Zigaretten in der Ran-dolph-Street leer machten? Oder die Sache mit Cris-buck. Jawohl, dem dicken Crisbuck vom Crisbuck-Zir-kus. Crisbuck war – natürlich ganz *zufällig* – über einen dünnen *Draht* gefallen und die Busterboys hatten ihm

der Lastwagen

die Faust

---

die Bande, eine Gruppe von schlechten Menschen
schaden, etwas Schlechtes tun
zufällig, unerwartet
der Draht, Faden aus Metall

13

auf die Beine geholfen. Dass Crisbuck später sein Geld nicht finden konnte, war seine Sache. Gewiss, Jerry war erst sechs Jahre alt. Aber das ist schon sehr alt, wenn man als Vierjähriger gesehen hat, wie der Conal-
5 ly zusammengeschlagen wurde. Und Jerry war nicht einmal der Jüngste in der Busterbande. Das war Jeffiboy. Der war viereinhalb und hatte nicht einmal eine Mummy, die ihn abends rief. Jerry und Jeffiboy waren klein. Ihr Vorteil. Sie *bettelten* eine Lady um ein paar
10 Cents an, während die anderen ihre Handtasche stahlen.

Dann kam der Abend, an dem alles schief ging. Die Busterboys wollten bei McFadden einige Dollars stehlen. McFadden war der Weiße, der einen *Zeitungskiosk*
15 am Ostrand Harlems hatte.

Der Plan war klar. Jerry sollte ein paar Zeitungen von McFaddens Kiosk nehmen, weglaufen und die Zeitungen nach fünfzig Schritten fallen lassen. McFadden soll aus seinem Kiosk herauskommen und die Zeitun-
20 gen zurückholen. Diese dreißig Sekunden waren Zeit genug für die Busterboys, mit der kleinen Kasse McFaddens wegzulaufen. Buster machte noch den Vor-

der Zeitungskiosk

---

betteln, von jemandem Geld haben wollen

14

schlag, den Zeitungskiosk abzubrennen. Das aber wollten die Busterboys nicht. Gibt zu viel Ärger, meinten sie.

Als Jerry fünf Exemplare der »New York Times« wegnahm, wusste er schon, dass es nicht gehen würde mit der McFadden-Geschichte. Aber er legte die Zeitungen nicht wieder hin. Und dann ließ er die Zeitungen fallen. Nicht, weil er schon fünfzig Schritte gelaufen war, sondern weil vor ihm ein Pferd stand und eine Hand ihn am Hals fasste, hochhob und auf das Pferd setzte.

Jerry machte seine Augen wieder auf. Er sah in das Gesicht eines Polizisten. Dann blickte er zurück zum Kiosk. Aber dort geschah nichts. Die Busterboys waren weg und McFadden hatte nicht einmal gesehen, dass Jerry die Zeitungen weggenommen hatte. Keiner hatte es gesehen. Doch. Einer. Der Policeman hier. Der weiße Polizist. Ja, Polizist Nr. 284 hatte es gesehen. Aber Polizist Nr. 284 war keine Zahl. Polizist Nr. 284 hieß Peter Brownsing, hatte eine Frau und vier Kinder und spielte gern mit der Eisenbahn seines fünfjährigen Jungen. Und Policeman Peter Brownsing kannte sich aus im Gesicht und in der Seele eines kleinen Jungen, obwohl seine Haut schwarz war und seine kleinen Hände *zitterten*.

»Ich heiße Peter Brownsing«, sagte der Policeman. »Heißt du auch so?«

»Nein, ich heiße Jerry«, sagte der Kleine und er dachte: Was soll das? Warum gibt er mir keine Schläge?

---

zittern, sich schnell hin- und herbewegen

15

»Jerry Brownsing?«, lachte der Policeman.

»Nein, Jerry-ich-ich-weiß nicht!«

»Also, Jerry Ich-weiß-nicht, wie ist es mit einem kleinen Abendessen? Magst du ein Stück Brot?«

5 Jerry hatte Hunger. Großen Hunger. Aber – der Policeman war ein Weißer.

»Nein«, sagte Jerry.

»Gut«, sagte der Polizist. »Aber ich!«

Und er lachte und packte das Brot aus, das seine
10 Frau ihm vor jedem Arbeitsbeginn in die Tasche steckte. Er brach es halb durch und biss in die eine Hälfte hinein.

»Eigentlich schade!«, sagte Brownsing. »Eigentlich schade um die andere Hälfte. Versuch mal. Hier!«

15 Der Hunger war zu groß. Jerry nahm das Sandwich und biss hinein. Genau wie Peter Brownsing. Und während er aß, sah das abendliche Harlem mit einem Male ganz anders aus. Auch war das Gesicht des Poli-

zisten nicht mehr so fremd. Nein, es war nahe und gut.

Was Jerry und Peter Brownsing sich erzählten? – Niemand außer den beiden weiß es. Aber Jerry hat nach einer Viertelstunde fünf Exemplare der »New York Times« zurückgelegt. 5

Jerry ist immer noch sechs Jahre heute. Denn die Geschichte mit Brownsing passierte vor drei Wochen. Jerry bekommt heute vier Dollar pro Tag. Bei McFadden, für den er Zeitungen austrägt.

Und Jerry sieht kaum noch jemanden aus der 10 Busterbande, dafür aber umso öfter einen freundlichen Mann, der Peter Brownsing heißt.

Doch natürlich hätte die Sache auch anders ausgehen können. Was wäre zum Beispiel passiert, wenn statt Peter Brownsing Policeman Nr. 283 gekommen 15 wäre, Gordon F. Brackleg?

Fragen

1. Was kann man von der Freiheitsstatue aus sehen?

2. Wer wohnt in Harlem?

3. Warum hatte Jerry immer Hunger?

4. Was wollte Jerry eines Tages sehen?

5. Was geschah mit Conally?

6. Was machten die Busterboys bei McFadden?

7. Was erzählten sich Jerry und Peter Brownsing?

8. Was wäre passiert, wenn statt Peter Brownsing Gordon F. Brackleg gekommen wäre?

Die erste *Pfeife* bei Cho Lung ist frei

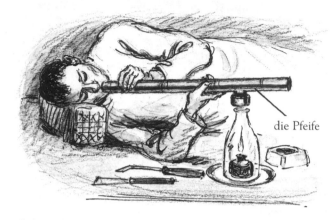

die Pfeife

Ich bin Gregory P. Craigh. Maler. Die »San Francisco
Tribune« hatte von mir eine Reihe von Zeichnungen
gekauft. Studien aus chilenischen Häfen. Ich versprach dem Chef der Zeitung, für sechs weitere Num-
5 mern des Jahres Zeichnungen zu machen. Ich bekam
800 Dollar für die fertigen Zeichnungen und 2000 Dollar im Voraus für die späteren Zeichnungen.

Als ich die Zeitung verließ, war es Abend. San Francisco am Abend ist schön wie Musik. Außerdem gibt
10 es für mich als Zeichner immer und überall etwas zu
sehen.

Eine Chinesin gab mir den Gedanken, ins gelbe
Viertel zu gehen. Vielleicht gibt es dort etwas zu zeichnen. Eile hatte ich nicht. Wer hat Eile mit einem
15 Scheck von 2000 Dollar und 800 Dollar bar in der
Tasche? Nach einiger Zeit kam ich in das Innere der
Chinastadt: Traurigkeit in gelben Gesichtern. Vor
einem bunten *Vorhang* blieb ich stehen. Plötzlich teil-
te sich der Vorhang. Ein alter Mann trat auf mich zu.

der Vorhang

»Kommen Sie herein«, sagte er. »Man wartet auf Sie!«

»Wer?«, fragte ich.

»Der rote *Rausch*«, sagte er.

Ich drehte mich um und blieb stehen. Warum sollte 5
ich das nicht einmal zeichnen: eine *Opiumhöhle*.

Der Alte war schon durch den Vorhang zurückgetreten. Ich ging durch den bunten Vorhang hinein und folgte. Eine moderne, saubere *Bar*.

die Bar

---

der Rausch, großes Glücksgefühl
die Opiumhöhle, der Ort, wo man Rauschgift raucht

»Hier bitte!«, sagte der Alte bestimmt und öffnete
eine Tür aus rotem Leder. Dahinter ein Gang. Dann
dunkles Rot. Eine singende Chinesin. Ich zog meinen
Skizzenblock und zeichnete die zwei Weißen, die auf
5 den *Diwans* lagen und gegen die roten Wände *lächel-
ten.* Aber der Alte war noch da. Er hielt die Pfeife vor
mich hin, drückte ein kleines Kügelchen hinein.

---

lächeln, lautlos lachen

der Diwan

der Skizzenblock

»Ihr Freund, der rote Rausch, heißt Sie willkommen!«, sagte er leise.

»Lassen Sie den Unsinn!«, rief ich. »Ich möchte kein Opium rauchen. Ich möchte nur zeichnen!«

»Ihr roter Freund meint es gut mit Ihnen«, sagte der 5 Alte leise.

»Die Farben, die Sie sehen, sind gut und tief!« Ich dachte an seltene Farben, die ich gesehen hatte. Das Schwarz einer Orchidee in Brasilien, das Gelb im Auge meines kranken Kameraden Desmond im Korea- 10

21

krieg, das schmutzige Grün im Gesicht des Polizisten, den man aus dem Wasser in Chicago zog.

»Farben! Farben!«

»Die erste Pfeife bei Cho Lung ist frei!« hörte ich
5   noch. Dann zog ich an der Pfeife. Ein feines Beißen an den Lippen. Rauch zog in die Sinne.

Ich legte mich auf dem Diwan zurecht. Ich schloss die Augen. Und da waren sie, die Farben, von denen der Alte gesprochen hatte: zuerst Weiß, dann Rot,
10   immer mehr Rot, immer – mehr – Rot.

»Wie fühlen Sie sich?«, fragte das Gesicht über mir.

Ich sagte nichts. Fühlte nur nach dem Scheck und den Dollars. Es war noch alles da.

Ich holte tief Luft und setzte mich auf und merkte,
15   dass ich in einem *Operationssaal* war.

der Kittel

der Operationssaal

22

»Was war mit mir?«, fragte ich.

»Nichts!«, sagte das gelbe Gesicht über dem weißen *Kittel.*

»Warum bin ich hier?«

»Sie haben danach verlangt!«

»Das muss ein Irrtum sein!«, sagte ich. »Vielleicht war mir nicht gut. Ich – ich«, ich dachte nach und versuchte zu lächeln, dabei zog es wie leiser Schmerz über mein Gesicht. »Es war wohl ein wenig unvorsichtig, in eine Opiumhöhle zu gehen. Aber Sie wissen, meine Arbeit. Ich bin Zeichner. Es ist nicht leicht, Neues zu finden. Aber bitte, jetzt möchte ich hinaus!«

Das gelbe Gesicht sagte höflich: »Sehr wohl. Wenn Sie sich hier Ihre Krawatte in Ordnung bringen möchten!« Dabei zeigte er mit der Hand auf einen großen Wandspiegel. Ich merkte erst jetzt, dass mein Hemd offen stand.

Ich schloss das Hemd nicht mehr. Aus dem Spiegel sah mich ein gelbes Gesicht an. Die Mundform war verändert. Die *Stirn* hoch, das Haar blau wie das Haar des Alten aus der Opiumhöhle. Ich fuhr mit der Hand über meine Augen, die klein und *stechend* geworden waren. Nichts änderte sich. Ich war nicht mehr ich. Ich schrie. Lange.

Dann drehte ich mich wieder dem gelben Gesicht über dem weißen Kittel zu.

 — die Stirn

stechend, spitz

»Was haben Sie mit mir gemacht?«, schrie ich.

Das gelbe Gesicht sagte nichts.

»Ich gehe sofort zu ...!« Wohin sollte ich gehen? – Zur Polizei? Wer würde mir glauben, dass ich Gregory

5 P. Craigh war? Zur Zeitung? – Man würde mich hinauswerfen. Zu meinen Eltern?

»Ich will wieder Gregory P. Craigh sein!«, schrie ich.

»Sie wollen wer sein?«, fragte das gelbe Gesicht.

»Gregory P. Craigh.«

10 »Wer ist das?«, fragte das gelbe Gesicht.

Ich suchte in meiner Tasche nach meinem Pass. Nichts war in der Tasche. Nur Scheck und Dollars.

»Ich will ich sein – ich will mein Gesicht!«, sagte ich.

»Ich verstehe«, sagte der Mann im weißen Kittel.

15 »Wir sollen eine Operation machen, die Ihr Gesicht ändert, Schönheitsoperation?«

»Ich will mein Gesicht!«, sagte ich.

»Ist vielleicht die Polizei hinter Ihnen her?« Das gelbe Gesicht lächelte dünn. »Nun, das ist mir als Arzt

20 natürlich gleich. Haben Sie einen Vorschlag, wie Sie aussehen möchten? Wie ein Filmstar vielleicht? Wir haben hier eine Sammlung Gesichter. Wenn Sie sich bitte einmal die Bilder ansehen wollen?«

Der Mann gab mir eine Reihe Fotos.

25 Ich sah die Fotos an. Auf den Bildern war mein Gesicht, wie es früher war. Das Gesicht Gregory P. Craigh. Wortlos gab ich dem Mann die Fotos.

»Machen Sie, was Sie wollen«, sagte ich. »Geben Sie mir mein Gesicht zurück.«

30 »Dann wäre da noch die Kostenfrage!«, lächelte das Gesicht weiter.

»Mir ist jeder Preis recht!«, sagte ich. »Nur mein Gesicht ...!«

»Aber nein!«, sagte er. »Jeder Preis! Ich bitte Sie! Ich arbeite nur nach festen Preisen. Danach bekomme ich ...«

Der Mann drehte sich zur Seite und schrieb ein paar Zahlen. 5

»Danach bekomme ich von Ihnen für die schwere Operation 2800 Dollar. Im Voraus zu bezahlen, bitte. Haben Sie das Geld?«

Ich wollte meine Faust in das gelbe Gesicht über dem weißen Kittel stoßen. Doch sah ich in dieselben 10 Augen, die ja jetzt auch meine waren und mir fehlte die Kraft, die Hand zu heben.

»Wir nehmen natürlich auch einen Scheck, wenn Sie nicht genug Bargeld haben sollten«, lächelte der Mann. 15

Ich nahm die Dollars und den Scheck von der »San Francisco Tribune« aus der Tasche heraus. Einige Sekunden lang hielt ich das Papier in der Hand. Dann warf ich es auf den Operationstisch. »Fangen Sie an!«

Tage und Nächte vergingen in Unklarheit. Kleine 20 Messer in eiligem Schneiden und Schmerzen über dem Gesicht. Dann wurde Klarheit aus Unklarheit vor meinen Augen. Wieder war da das gelbe Gesicht. Es sagte:

»Wir haben uns dem von Ihnen gewünschten Foto sehr genähert. Ich bin sicher, Sie werden mit unserem 25 Hause zufrieden sein!«

Ich schreckte hoch. »Einen Spiegel!«, bat ich.

»Hier!«, sagte der Alte und zog einen halb blinden Handspiegel heraus. Ich konnte sehen, dass ich wieder Gregory P. Craigh war. Ich stand von dem Diwan auf 30 und fasste in die Tasche, um für das Opium zu zahlen.

»Die erste Pfeife bei Cho Lung ist frei!«, sagte der Alte wieder.

Ich ging aus der Höhle durch den Gang und die Bar
nach draußen. Draußen fasste ich noch einmal in die
Tasche. Der Pass war wieder drin. Doch Scheck und
Dollars fehlten. Stattdessen ein Stück Papier mit chi-
5 nesischen Worten.

Es war Nachmittag, ich rief ein Taxi, ließ es aber
wieder wegfahren, als ich daran dachte, dass ich ohne
Geld war. Nach einer Stunde kam ich zu der »San
Francisco Tribune«.

10 Man fragte mich, warum ich die schon versproche-
nen Arbeiten nicht *geschickt* habe. Ich fragte, ob hier

---

schicken, senden

jemand ist, der Chinesisch kann. Einer las mir das Chinesische vor. Es hieß: »Verliere nicht dein Gesicht!« – Mehr nicht.

Als ich wieder auf der Straße stand, war es Abend. Ich wusste: Ich bin Gregory P. Craigh. Und San Francisco am Abend ist schön wie Musik. ₅

Fragen

1. Wofür hat Craigh 2800 Dollar bekommen?

2. Wohin geht er am Abend?

3. Was will er in der Chinastadt?

4. Was kostet die erste Pfeife bei Cho Lung?

5. Wie fühlt sich Craigh nach der ersten Pfeife?

6. Was sieht er im Spiegel?

7. Wie kann er sein Gesicht wiederbekommen?

8. Was bedeuten die chinesischen Worte auf dem Stück Papier in seiner Tasche?

Der Automat und der *Tramp*

Er kannte die Stadt. Sechzig Trampjahre hatten Philip C. Lowell gezeigt, was eine Stadt ist. Ein *Paradies*, solange man Dollars in der Tasche hat. Schrecklich, sobald kein Geld mehr in der Tasche ist und man
5 nichts anderes mehr am Leibe trägt, als einen dreimal abgetragenen Anzug. Am Leib, das geht noch, aber innen! Drei Tage lang nichts anderes als Wasser von der Bahnhofstoilette. Wenn man wenigstens noch betteln könnte! Aber das geht ja nicht mehr. Ist ja auch
10 eine dumme Idee, einem Jungen auf der Straße die Geldtasche wegreißen zu wollen. Pah, vor drei Tagen. Der Tramp hustete hart, spuckte Blut. Bei Gott, das ist nichts für einen alten Mann. Der scharfe Hunger und die Nachtkälte jetzt und die Polizei hinter mir her.
15 Und wieder der Bluthusten! Der Tramp versuchte mühsam aufzustehen. Noch ist es nicht aus mit dir, Philip. Du musst bloß hier raus! Fünf Kilometer nach Westen, dann siehst du die erste Farm! Nur Mut, old fellow! Dann stand er. Doch drehte er sich blitzschnell
20 wieder um und sah auf die Stelle, auf der er eben gesessen hatte. Das, das war doch – ! Und er nahm den Halbdollar auf, auf dem er die ganze Zeit gesessen hatte. Fünfzig Cents! Das ist Essen. Das heißt neue Kraft. Leben! – Und ich Dummkopf habe dadrauf gesessen!
25 Der Alte ging die nächtliche Straße hinunter. Der nächste Automat mit etwas zu essen stand beim Chinatown-Kino. Dahin! Los, weiter! Und wieder dieses

---

der Tramp, ein Mensch ohne feste Wohnung und Arbeit
das Paradies, ein besonders schöner Ort

28

böse Husten und Blutspucken! Mach schon, du bekommst gleich etwas in den toten Leib, old Philip! Was willst du haben? Apfelsinen oder Schokolade? Dann stand Philip C. Lowell vor dem bunten Kasten.

Da, da! Fisch, Obst, Milch und Fleisch. Mit übergro- 5 ßen Augen sah Philip C. Lowell auf all diese Dinge. Der Tramp wartete nicht lange. Mit seinen dünnen zittrigen Fingern steckte er das Halbdollarstück in den Automaten unter »ham and cheese«. Er hörte, wie das Geldstück hinunterfiel, hörte noch einen metallischen 10 Laut und hörte nichts mehr, nichts. Das Zittern, das vorher nur in den Fingern gesessen hatte, ging nun durch den ganzen Körper, durch Beine und Kopf. Der Alte drückte auf den Rückgabeknopf. Zwei-, dreimal! Nichts! Jetzt schlug der Tramp mit beiden Fäusten auf 15 den Apparat ein. Nichts! Dumme Maschine, dachte der Alte, als er zusammenbrach und mit dem Kopf hart gegen den Automaten schlug. Blut lief ihm über die Stirn und der Alte konnte nicht mehr weiterdenken. Heute nicht und nie mehr! Er konnte auch nicht mehr 20 hören, dass gleich, als sein Kopf gegen den Automaten schlug, innen im Apparat etwas geschah. Er konnte auch nicht mehr sehen, dass eine Packung Ham-and-cheese herausfiel und dass danach der gestörte Apparat noch zehnmal seine Ham-and-cheese-Packungen he- 25 rausspuckte. Jetzt – und jetzt! Die Packungen fielen auf die Straße und den Verhungerten: der Apparat *erbrach sich*.

---

sich erbrechen, Essen und Trinken durch den Mund wieder ausspucken

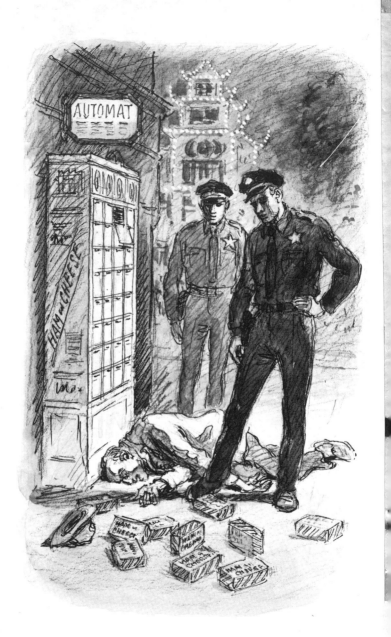

»War wohl ein Automatendieb!«, sagte einer der Polizisten und stieß mit dem Fuß eine Packung vom Arm des Toten hinweg.

»Ist sicher vor Schreck *gestorben*, als das alles herausfiel. Du, halt mal! Wird der nicht schon gesucht? 5 Das Foto auf der Polizeistation ...!« »Schon möglich! Ist ja alles möglich in dieser schmutzigen Stadt und in dieser noch schmutzigeren Welt!« Aber das hatte der Polizist nur so gesagt, als die beiden den toten Alten wegtrugen.

Fragen

1. Wie lange war Lowell schon Tramp?

2. Warum wollte er dem Jungen die Geldtasche wegreißen?

3. Was findet Lowell, als er aufsteht?

4. Was will er für die 50 Cents kaufen?

5. Was passiert am Automaten?

6. Was denken die Polizisten über Lowell?

---

sterben, aufhören zu leben

Schuhputzstand in Manhattan

»Wie alt?«

»Siebzehn.«

»Sehen älter aus.«

Natürlich sehe ich älter aus, dachte der Junge. Er
5 sah an sich herunter: die schmutzigen *Stiefel*. Die ölige
Hose. Das zerrissene Hemd. Der Junge *grinste*. Er wusste, dass sein Gesicht mit diesem dummen Grinsen
jetzt einem Dreißigjährigen gehören konnte. Mit dem
Schmutz, dem Grinsen und dem Hunger.

10 »Heißen?«

»Hanno Larsen.«

»Nordisch?«, lächelte der *Vernehmungsoffizier*.

»Ist nordisch.« Der Offizier lächelte nicht mehr.

»Zu welcher *Kompanie* Soldaten gehören Sie?«

15 »Sechzehnte Kompanie!«, sagte der Junge.

»Und Sie sagen, Pass, Erkennungsmarke, alles ver-
loren zu haben?«

»Alles«, sagte der Junge.

»Linken Arm hoch!« Und jetzt wurde die Stimme
20 des Offiziers in der gelbgrünen *Uniform* ganz leise.

»Bitte-den-linken-Arm-hoch, mein Herr«, sagte er
noch einmal.

Der Junge hob den Arm. »Hawkins!«, rief der Offizier. »Hawkins, have a look at it!«

25 Soldat Hawkins kam. Er hielt seine Zigarette zwi-

---

der Schuhputzstand, der Stiefel, siehe Zeichnung auf Seite 35
grinsen, lächeln
der Vernehmungsoffizier, ein Soldat, der ausfragt
die Kompanie, die Gruppe
die Uniform, die Kleidung des Soldaten

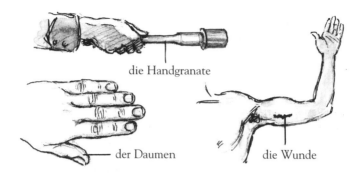

die Handgranate

der Daumen   die Wunde

schen dem *Daumen* und dem kleinen Finger. Dummes
Gesicht, dachte der Junge.

»Come on, guy!«, sagte Hawkins nur und Spucke
lief ihm aus dem Mund. Und das geschah immer, wenn
er sprach.   5

Der Sergeant zog Larsen das Hemd aus. Unter dem
linken Arm war eine schmutzige *Wunde*.

»Aha«, lächelte der Vernehmungsoffizier. »Was ist
das?«

»Ein *Splitter* von einer *Handgranate*«, sagte der   10
Junge.

»Ach nee«, sagte der Offizier. »Ach nee. Und dieser
Handgranatensplitter hat genau die Stelle getroffen,
an der früher mal ein A oder ein B oder eine Null *täto-
wiert* war?«   15

»Handgranatensplitter«, sagte der Junge wieder,
»nichts weiter.« Und er dachte: Hoffentlich glauben
sie die Lüge oder sie stellen mich an die Wand. Ein
Mädchen hat mir das Blutgruppenzeichen herausgebis-
sen. Das Zeichen, um das man uns jetzt zu Tode jagt.   20

---

der Splitter, ein sehr kleines Stück
tätowieren, auf die Haut zeichnen

Was soll ich euch erzählen, wie ich zu dem *schwarzen Haufen* gekommen bin? – Ohne es zu wollen und viel zu jung. Siebzehnjährig. Aber das erkläre diesen Leuten mal, dachte er.

5 »Handgranatensplitter«, versuchte jetzt auch Hawkins zu sagen.

»Is that 'Handgranatensplitter'?«, fragte er. Dabei kam er mit dem brennenden Ende der Zigarette, die er in der Hand hielt, an die offene Wunde. Der Junge 10 schrie auf. Jetzt fängt es wieder an, dachte er. Nach zwanzig Minuten fiel der Junge aus der *Baracke*. Es war nicht allzu viel passiert in dieser Zeit. Man öffnete im Vernehmungsraum nur das Fenster, weil es unangenehm süßlich roch. Und der Junge hatte gesagt, dass 15 »sechzehnte Kompanie« falsch war. Man *erkennt* genau, was falsch ist, dachte er, wenn man nur noch eine Hand sieht, die eine Zigarette unnatürlich hält. Sehr unnatürlich hält.

Jetzt war er siebenundzwanzig. Und man hatte ihn 20 gebeten, in dieses Land zu kommen, damit er hier etwas für sein Studium tun könne. Man hatte ihm einen Wagen gegeben und so viel Geld in einem Monat, wie er sonst nicht in einem Jahr hatte. Aber daran dachte er jetzt nicht. Er sah nur eins: einen 25 Schuhputzer, der an der Ecke zur 93. Straße saß. Spucke lief auf seinen Arbeitsanzug und die Zigarette hielt er zwischen Daumen und dem kleinen Finger.

---

der schwarze Haufen, die SS
die Baracke, ein kleines Holzhaus
erkennen, sehen

der Stiefel   der Schuhputzstand

Der Junge setzte sich in den hohen Stuhl und Hawkins zog ein Stück Stoff, das er fest an beiden Enden hielt, langsam über die Schuhe hin. »Nice day!«, sagte der Junge. Der Schuhputzer sah auf und sagte: »Very
5 nice day, Sir!« Er sah auf das Gesicht des jungen Mannes und dann auf seinen guten Anzug. Der wird mir bestimmt dreißig Cent geben, dachte der Schuhputzer. Der Junge: Er erkennt mich nicht wieder. Als er aufstand und dem Schuhputzer einen Halbdollar in die
10 Hand drückte, hatte er Ja gesagt zu einem abendlichen Drink im »Shake and Shock«. Ideen haben diese Leute in feinen Anzügen manchmal, dachte der Schuhputzer.
Schon sechs Drinks hatten Hawkins am Abend betrunken gemacht.
15 »Etwas von diesem Stoff zum Mitnehmen«, sagte der Junge zum Kellner. Er steckte die grüne Ginflasche in die Manteltasche. Dann nahm er Hawkins unter den Arm und zog ihn auf die Straße, auf der um diese Stunde kein Mensch zu sehen war.
20 »In New York werden an jedem Morgen sechs Tote in den Straßen gefunden, Hawkins.« Ein paar Splitter der Flasche fielen auf die Straße. Er sah die Hand, die in Gin und Blut lag. Die Hand, die immer noch die Zigarette hielt, zwischen Daumen und kleinem Finger.
25 Erst, als es süßlich roch, ging ein junger Mann aus dem Hauseingang auf die Straße.
Er merkte die Hitze der Zigarette an seinen Fingern und warf sie durch das Autofenster auf die Straße. Viele dumme Gedanken für eine Zigarettenlänge, dachte
30 er. Und weiter: aber eigentlich müssten deine Schuhe mal wieder geputzt werden. Na, fahr lieber ein paar Häuser weiter. Der Schuhputzer an der 93. Straße sah dem Auto nach. Dann nahm er mit Daumen und klei-

nem Finger die Zigarette aus dem nassen Mund. Und
er sagte zu dem kleinen Jungen, der neben ihm stand:
»So etwas habe ich gern. Vor der Nase parken. Und
dann immer diese Unsicherheit von den Leuten.«

Der kleine Junge *nickte*. Er hatte nicht gehört, was 5
Hawkins gesagt hatte. Aber er nickte.

Fragen

1. Wer ist Hanno Larsen?

2. Warum wird er vernommen?

3. Was bedeutet die Wunde unter Hannos linkem
   Arm?

4. Was macht Hawkins mit seiner Zigarette?

5. Was erlebte Hanno Larsen in Amerika?

---

nicken, mit dem Kopf ein Zeichen geben

Vor der *Wahl* in Chattanooga

»So, Randolph Hesekiel, du hast dein Wahlgeld
bezahlt?«

»Ja, Sir. Ich habe zwei Dollar zahlen müssen und
sechzig Cent!«

5 »Na und, Randolph? Wir müssen doch genauso viel
Geld zahlen.«

»Aber ein weißer Mann hat es leichter, Sir. Er *verdient* fünfmal so viel wie ein Schwarzer.«

»Na, na! Wenn ein Schwarzer weniger verdient, ist
10 er fauler. Dann schläft er, wenn die anderen arbeiten
und macht Kinder oder was weiß ich. Jedenfalls: In
unserem Land kann jeder so viel verdienen, wie er will,
wenn er fleißig ist, klar?«

»Jawohl, Sir!«

15 »Gut, dass du das verstehst, Randolph. Sonst hätte
ich dir nämlich nicht die Reife des *Staatsbürgers zuerkennen* können. Und wenn du die nicht hast, darfst du
nicht wählen, obwohl du jetzt schon – wie alt bist?«

»Zweiundvierzig, Sir.«

20 »Schönes Alter. Da ist man schon sehr klug, Randolph. Also beginnen wir mit der Prüfung. Wir wollen
nur dein Bestes, Randolph Hesekiel, dein Bestes und
das Beste für unsere große Nation. Rechts von mir sitzt
der Kaufmann Bernhard Juggle und links der Lehrer
25 Glen Worthbridge. Zur Kontrolle, dass alles seine Ord-

---

die Wahl, seine Stimme für jemanden abgeben
verdienen, durch Arbeit Geld bekommen
der Staatsbürger, der Bewohner in einem Land
zuerkennen, geben

nung hat. Ehrenwerte Männer. Du kennst sie, Randolph?«

»Vom Sehen, Sir!«

»Also los! Wann ist Alabama in die Union aufgenommen worden?«

»1819, Sir!«

»Stimmt! Jawohl, stimmt. Und wer war zwischen Thomas Jefferson und James Monroe Präsident der USA?«

»James Madison!«

»Bitte?«

»James Madison, Sir!«

»Aha! Und wann wurde er Präsident?«

»1809, Sir!«

»Hm, gut gelernt, Randolph, wirklich sehr gut. Nun wollen wir mal sehen, ob du auch etwas von der tieferen Geschichte unseres Landes verstanden hast. Wie hieß 1912 der erste Mann der Demokraten?«

»Wilson!«

»Aber jetzt: Was sagte Präsident Coolidge immer?«

»Keep cool with Coolidge!«

»Gut, gut! Na, jetzt soll einmal ein anderer fragen. Juggle, wollen Sie?«

»Ja! Randolph, was ist der Ku-Klux-Klan?«

»Der Ku-Klux-Klan ist eine geheime Bande, die gegen die Neger ist.«

»Hahaha! Du machst dich aber jetzt sehr lächerlich, Randolph. Den Ku-Klux-Klan gibt es gar nicht, mein Junge. Der Ku-Klux-Klan ist nur ein *Hirngespinst* von euch Schwarzen. So wie Phantom und Superman. Ihr

---

das Hirngespinst, eine geträumte Sache

40

lest zu viele Comic-Hefte und zu wenig über die berühmte Geschichte unseres freien Landes. Nein, Randolph, ich muss hier traurig den Kopf schütteln. Du hast die Prüfung nicht bestanden, guter Mann. Du bist nicht reif. Du darfst nicht wählen. Stimmt es, mei- 5 ne Herren?«

»Ganz recht!«

»Also, gehe nach Hause, Randolph und bereite dich besser vor.«

»Für wann?« 10

das Heft

der Ku-Klux-Klan

»Für die nächste Wahl. In ein paar Jahren. Geh, Randolph.«

Als der Neger gegangen war, schlug der Lehrer Glen Worthbridge dem Kaufmann Bernhard Juggle auf die Schulter. Und er sagte dabei: »Gut gemacht, Groß- 15 meister!«

---

der Großmeister, wichtige Person im Ku-Klux-Klan

41

Fragen

1. Zu welcher Prüfung meldet sich Randolph Hesekiel?

2. Was darf er tun, wenn er die Prüfung besteht?

3. Welche Fragen muss Randolph Hesekiel beantworten?

4. Warum besteht er die Prüfung nicht?

5. Wer prüft ihn?

Kobbe hatte den besseren Platz

Richard Kobbe bezahlte zwei Mark und 20 Pfennig. Nur ein Markstück war darunter. Das andere waren *Groschen* und Pfennige. Als Kobbe das Geld auf den 5 schmutzigen, rotgrauen Teller an der Kinokasse gelegt hatte, war der *Geldbeutel* leer.

Die Frau hinter der Glaswand sah in das Gesicht Kobbes. Ihr Blick lief an Kobbe herunter, sah die dunklen abgetragenen Kleider des Mannes und sprang 10 von dort wieder zurück auf das Geld. Als es genau gezählt war, gab sie dem Mann ein grünes Stück Papier.

— der Geldbeutel

»Einmal *Loge*!«, sagte die angenehme Stimme der Frau an der Kasse. Angenehm für Richard Kobbe.

---

der Groschen, 10-Pfennigstück
die Loge, der beste und teuerste Platz im Kino

Dem alten Mann gefiel das. Er ging im Licht einer
Taschenlampe. Jetzt legte sich das Licht wie ein gelber
Teppich vor einen leeren Sitz. Und vorsichtig setzte
sich der Mann. Im Vorfilm sah man gut gekleidete
5 Männer und schöne Frauen in Abendkleidern.
Richard Kobbe ärgerte sich nicht, er freute sich. Er war
wegen dieser sauberen, glatten Gesichter in schönen
Kleidern gekommen, um seine eigene Haut zu vergessen und den abgetragenen Anzug. Und dann Licht im
10 Kinosaal. Pause zwischen Vorfilm und Hauptfilm.
Zwei, drei Köpfe drehten sich um. In den Mittelreihen
erkannte Richard Kobbe zu seiner Freude Herrn Diepenbrock vom *Wohlfahrtsamt*.

---

das Wohlfahrtsamt, ein Amt, das armen oder kranken Menschen hilft

Kobbe hob kurz die Hand und *winkte* ein wenig. Aber aus dem Gesicht wurde im gleichen Augenblick ein Hinterkopf. Traurig ließ Kobbe seine Hand wieder fallen.

Es wurde dunkel im Saal. Der Hauptfilm begann. Richard Kobbe half ein Film über eine ganze Woche dunklen Alltag hinweg. Er freute sich, einmal für wenigstens zwei von 148 Stunden auf dem besten Platz zu sitzen, auf dem allerbesten. Das war wunderschön, schön wie ein Wunder.

»Nun ja, wir müssen schon sehr darüber nachdenken, ob wir Ihnen noch etwas geben dürfen und können, ja können, Herr Kobbe, ja nun!«

winken, mit der Hand ein Zeichen geben

»Herr Diepenbrock, Sie wissen doch, wie ich seit zwei Jahren lebe. Sie sind doch jeden Monat bei mir und prüfen doch alles nach. Sehen, was es bei mir zu essen gibt, sehen selbst in meinen alten Kleider-
5 schrank ohne Tür, ob etwa ein neuer Anzug da hängt. Mit allen geht es besser, nur bei mir nicht. Und jetzt können Sie mir nicht mal mehr die paar Groschen geben, Herr Diepenbrock? Das geht nicht in meinen Kopf.«

10 »In meinen geht auch so manches nicht, mein lie-
ber, lieber Herr Kobbe. Ich bin da vor drei Tagen in dem wichtigen Film, wegen meiner Arbeit natürlich, ja und wen sehe ich da in der Pause? Sie, Herr Kobbe!«

»Ach ja!« Der alte Mann lachte. »Ich hatte Ihnen
15 gewinkt, Herr Diepenbrock. Schön, dass wir beide in demselben Film waren. Er hat mit sehr gefallen, wirklich. Ihnen auch?«

»Darum geht es nicht, Herr Kobbe. Was mir auf gar keinen Fall gefallen hat, ganz und gar nicht, war, dass
20 der Herr Kobbe von unserem Wohlfahrtsgeld ins Kino läuft. Das ist genauso, als wenn einer eine Dame anbet-
telt und sich dann für die bekommenen Groschen Schnaps kauft.«

»Aber ich bin doch ins Kino gegangen, man bloß,
25 Herr Diepenbrock, nicht ins Gasthaus.«

»Ach nein. Mussten Sie denn ins Kino?«

»Ich musste!«, sagte der Alte. Jetzt sehr bestimmt. »Ich musste!«, sagte er, »sonst steht mir alles bis hier!« Und er machte mit der flachen Hand ein Zeichen am
30 Hals.

»Sososo! Sie mussten, ist ja interessant! Sie mus-
sten!« Und nach einer Pause sagte er weiter: »Und Loge, was? Ich, ich setze mich auf einen billigen Platz,

einen sehr billigen und was macht der Herr Generaldirektor Kobbe? Er nimmt Loge. Nein, mein lieber Herr, wir werden Ihren ganzen Fall noch einmal genaustens überprüfen lassen. Einiges scheint sich da geändert zu haben, Herr Kobbe, jawohl!«

5

»Warum?«, fragte der alte Mann.

»Warum? Weil ich Ihr Tun nicht verstehe!«

»Nein«, sagte der alte Mann.

»Nein, Sie verstehen mich nicht.«

Fragen

1. Auf welchem Kinoplatz sitzt Kobbe?

2. Warum hat er einen so teuren Platz gewählt?

3. Wen sieht er im Kino?

4. Woher hat Kobbe das Geld für das Kino?

5. Warum kann Kobbe jetzt kein Geld mehr von der Wohlfahrt bekommen?

Cameron Raglan

Dem Taxifahrer gefiel der Mann nicht. Italienischer *Einwanderer*. Sah krank aus von zu schwerer Arbeit. Mit großen *Stau*naugen und mit vielen Ideen und Plänen. Und nun auch noch die dicke Frau und die drei Kinder.

5

---

der Einwanderer, jemand, der in einen fremden Staat kommt, um dort dauernd zu leben
staunen, wundern

Aber Cameron Raglan, Fahrer der »Yellow Cab-Company«, war an der Reihe. Er konnte die fünf wartenden Menschen nicht stehen lassen und den Kollegen fahren lassen. Jede Fahrt ist ein Glücksspiel.

5 »Wohin wollen Sie denn?«

»Si, si, sehr gut, prima, wonderful!«

Der Einwanderer war so aufgeregt, dass er glaubte, man fragte ihn, wie ihm New York gefällt. Aber die runde Frau stieß den Mann an und sagte ein paar Worte.

10 »Ach so, hier!« Der Mann zog ein Stück Papier aus der Tasche.

»Hier: Eddy's Peola, 17 East, 89. Street.« Also im Armenviertel, dachte Cameron Raglan. Aber er ließ es sich nicht anmerken.

15 »O.K.«, sagte er nur und hielt die Tür zu seinem gelben Auto offen.

»Steigen Sie ein!«

»Das *Gepäck*?«, fragte die Frau. Cameron Raglan sah auf den alten Koffer, der mit dem Wort Gepäck gemeint war. Die *Spaghettis* hatten sicher mit diesem 20 Ding schon vor hundert Jahren Reisen gemacht.

»Ist das alles?«, fragte Cameron Raglan.

»Si«, sagte der Mann.

»Ich stelle das – das Stück hinten rein! Augenblick!«

25 Als der Fahrer den Koffer im Auto hatte, setzte er sich schnell hinter das *Lenkrad* und ließ den Wagen schnell nach vorn schießen. Es machte den Einwanderern Vergnügen, alles lachte und war fröhlich. Came-

---

das Gepäck, das, was man auf Reisen braucht
der Spaghetti, hier: der Italiener

das Mikrophon

das Lenkrad

ron Raglan fuhr schnell. Die Spaghettis bringe ich schnell zu »Eddy's Peola«, dachte er. Will schließlich auch meinen Feierabend haben, am Weihnachtsabend.

Und in das *Mikrofon* seines Radios sagte Cameron 5 Raglan: »Habe eine Fahrt. Paar Einwanderer. Vom Hafen bis zur 89sten!«

»In Ordnung!« kam es aus dem Radio. Die Italiener staunten.

Was konnten die Spaghettis dafür, dass sie arm 10 waren? Er, Cameron Raglan, war auch erst vor 20 Jahren von Porto Rico in diese Stadt gekommen, die alles versprach und wenig hielt.

Diese beiden Alten und die Kinder kann ich nicht *übers Ohr hauen*, vor allem heute Abend nicht. Er sah 15 in die Gesichter seiner Fahrgäste. Das Staunen war langsam weg. Sie fuhren die Third Avenue entlang. Da sah es ganz schön schmutzig aus. Das muss die Leute

---

übers Ohr hauen, nicht ehrlich sein

wohl an Sizilien denken lassen oder wo sie sonst herkommen mögen. Tut mir eigentlich weh, wie die Freude in denen stirbt. New York hat eben zwei Seiten. Da, die grüne Neonschrift, in der zwei Buchstaben tot waren.

5 »Eddy's ola!« stand nur noch da.

»Wir sind da, Signor!«, sagte der Fahrer und ließ den Wagen weich ausrollen, wie er es sonst nur vor den acht besten Hotels tat. Aber diesen Spaghettis wollte er sich am Heiligabend von seiner besten Seite zeigen.

10 Und als das letzte Kind aus dem Auto kam und nach der schnellen Fahrt lustig den Taxifahrer ansah, lächelte auch Cameron Raglan. Recht trocken, aber er lächelte.

»Einen Dollar, vierzig Cent!«, sagte er dann. Wirk-
15 lich: Der Mann musste lange in seinen Taschen suchen, bis er das Geld zusammen hatte. Aber es stimmte.

»Was ist los?« Der Wirt stand in der Tür zu »Eddy's Peola«, klein und mit einer gelben Krawatte.

20 »Ich bin Carlos Frantinetti!«, sagte der Italiener. »Mein ältester Sohn Giovanni hat uns herüberkommen lassen. Für uns ist hier ein Zimmer bestellt und für einen Monat bezahlt und er wollte hier auf uns warten.«

Der Wirt lachte: »Warten ist gut! Hahaha! Warten
25 ist gut! Giovanni hat das Zimmer bezahlt, ja, für einen Monat. Aber jetzt ist er über alle Berge. Er wollte mal wiederkommen. Nach Weihnachten, hat er gesagt. Geschäfte in Idaho, hat er gesagt!«

Vielleicht im Gefängnis dort! dachte Cameron
30 Raglan.

»Aber das Zimmer«, fuhr der Wirt fort, »ist völlig leer. Vielleicht hat Giovanni gedacht, ihr kommt mit den Möbeln.«

»Mit Möbeln? Aber – aber – wir hatten doch nur die beiden Schränke von Großmutter – ja – und und das eine Bett. Giovanni hat das aber gewusst. Ja – die – die *Frachtkosten* für die Sachen wären bestimmt teurer – viel teurer gewesen als – das alles wert war.« Zuletzt war der Alte leise geworden mit seiner Stimme. Er *schämte sich*. Der Wirt schlug dem Mann auf die Schulter. »Na, dann schlaft ihr auf dem Boden, bis Giovanni wiederkommt. Er ist zur *Erholung* weg!« Dabei *blinzelte* der Wirt dem Taxifahrer zu. Also doch! dachte Cameron Raglan.

»Ich meine, zu Geschäften ist er weg?«, fragte der Alte und staunte.

»Na, vielleicht macht er beides gleichzeitig in Idaho!«, beruhigte der Wirt. »Ich habe noch ein paar alte *Matratzen*. Sie sind nicht mehr die allerbesten, aber ...!«

»Hallo, sind Sie frei?« Cameron sah auf. Junges Mädchen, nein, jetzt sehe ich es genauer: Mittelalter.

»Ja, bin frei!«

»Central-Station, bitte. Möchte morgen früh mit dem Baltimore-Ohio-Zug in Little-Memphis sein, zum traditionellen Kirchgang mit meinen Eltern.«

Immer noch sprechend, stieg die Dame in das Taxi.

die Matratze

---

die Frachtkosten, Geld für das Senden von Waren
sich schämen, Angst haben
die Erholung, die Ferien
blinzeln, mit dem Auge ein Zeichen geben

»Fahren Sie schnell, bitte!«, sagte sie.

»Der Zug fährt um 11.23 Uhr. Und ich will an den Bahnhofsläden noch ein paar Weihnachtsgeschenke einkaufen. Fahren Sie also schnell!«

Sie lachte dumm. Cameron Raglan fuhr los. Dumme Kuh! dachte er. So im Schnellen Weihnachtsgeschenke einkaufen! Na ja!

Rotlicht! Cameron Raglan wartete. Er kam mit seinen Gedanken nicht von den Einwanderern los. Bin nicht verheiratet, dachte er, aber kann mir denken, was der Alte fühlt. Das erste Mal von zu Hause weg, nicht wissen, was er seinen Kindern zu essen geben soll, ein leeres Zimmer, Sohn Giovanni nicht da, sitzt sicher ebenso allein im Gefängnis – und außerdem ist Weihnachten. Brrr, trostlos! Cameron Raglan schüttelte sich. Das Rotlicht schlug auf Grün um. Freie Fahrt.

»Schnell, schnell!«, sagte wieder die Dame hinter ihm. Sie begann, Cameron Raglan zu ärgern. Er war froh, als die Central-Station rechter Hand lag.

»Hier. Sie sind wirklich schnell gefahren, guter Mann! Behalten Sie!«

Zehn Dollar! Cameron Raglan machte schnell die Tür auf und half der Dame aus dem Taxi. Cameron Raglan machte die Tür wieder zu, als er erschrak. Der alte Koffer der Spaghettis im Gepäckraum! Daran habe ich nicht gedacht während der Sache in der 89sten. Und als dann noch die Dame kam ...! Ich muss sofort zurück. Wenn die ihre wenigen Sachen nicht bei sich haben in dem leeren Zimmer, werden sie todtraurig sein. Sofort muss ich zurück.

Sofort? Warum sofort? Cameron Raglan lächelte. Doch dann wurde das Lächeln zu einem tiefen Lachen.

55

Der Fahrer sprang in den Wagen und drehte sich scharf aus der Reihe wartender Wagen vor dem Bahnhof heraus und jagte zur Sixth Avenue. Der Verkehr in den Straßen New Yorks war jetzt, am Weihnachtsabend,
5 dünner geworden. In drei Minuten hatte es Cameron Raglan geschafft, vor einem italienischen Lebensmittelgeschäft zu sein.

»Was essen Italiener zu Weihnachten?«, fragte er. Die erstaunte Verkäuferin zeigte auf einige appetitliche
10 Waren. »Das ist ...!«

»Nicht erst erklären!«, sagte der Fahrer. »Nur einpacken. Für fünf Personen!«

»Das macht aber ungefähr zwanzig Dollar!«, sagte die Verkäuferin.

»Einpacken!«, sagte Cameron Raglan nur.

Als er den alten Koffer aus dem Gepäckraum zog, sagte er:

»Sieht den Spaghettis ähnlich. Nicht mal abgeschlossen!« Er öffnete den Koffer. Ein paar alte Schuhe und Mäntel waren darin. Cameron Raglan legte seine Geschenke hinein, nahm den Koffer neben sich auf den Sitz und fuhr in die 89ste Straße, zu »Eddy's Peola«.

Da war der Wirt wieder, diesmal zur Feier der Stunde mit sauberem Hemd.

»Wo sind die Italiener?«, fragte er den Wirt.

»Der Carlos Frantinetti?«

»Ja!«

»Die sind in der Kirche. Wollten nicht so allein sein!«

»Ihren Koffer haben die Spaghettis vergessen. Wenn sie wiederkommen, sofort geben. Nicht vergessen. Wiedersehen. Und frohe Weihnachten!«

»Ja!«, sagte der Wirt.

Fragen

1. Was denkt Cameron Raglan über die Einwanderer?

2. Woher kommen sie?

3. Wie nennt Cameron Raglan die Italiener?

4. Wie sieht das Gepäck der Italiener aus?

5. An welchem Tag spielt die Geschichte?

6. Was vergessen die Italiener in Cameron Raglans Taxi?

7. Womit füllt Raglan den alten italienischen Koffer, bevor er ihn zurückgibt?

Kranker Hafen Soledad

Ich fuhr mit meinem *Jeep* die Straße hinunter auf das Küsten*dorf* zu. 20 bis 30 Häuser und *Hütten* auf der Sandfläche zwischen Bergkette und Pazifik.

---

der Jeep, siehe Zeichnung auf Seite 60
das Dorf, die kleine Stadt
die Hütte, ein kleines Holzhaus

In der letzten Kurve vor dem Dorf lag ein alter Mann auf der Straße. Ich hielt an. Der Alte blieb liegen. Ich *hupte*. Da drehte er das Gesicht zu mir herum, nahm den *Strohsombrero* hoch und winkte.

5 »Fehlt Ihnen etwas?«, fragte ich.

»Alles«, sagte der Alte.

»Machen Sie den Weg frei«, sagte ich.

Der Mann stand auf, kam auf mich zu und stellte ein Bein in den Einstieg des Jeeps. Jetzt sah ich: Der Mann

10 war nicht alt. Sein Gesicht sah nur durch den angetrockneten Schmutz und zwei Schnittwunden an der Stirn so aus. Der Mensch mit dem schmutzigen *Poncho* konnte nicht älter sein als dreißig, vielleicht so alt wie ich.

— der Strohsombrero

— der Poncho

— der Jeep

15 »Drehen Sie um«, sagte er. »Drehen Sie Ihren Jeep um und nehmen Sie mich mit!«

---

hupen, ein lautes Zeichen geben

»Sehen Sie her«, sagte ich und rollte das Hemd über den linken *Ellenbogen* hoch.

»Schuss*narbe*«, sagte der Mann. »Revolver.«

»Richtig«, sagte ich.

»War ein Tramp. Seit der Zeit nehme ich nieman- 5
den mehr mit.«

»Verstehe«, sagte er, sah an seinen *Lumpen* hinunter und grinste.

»Tramp, verstehe. Dann fahren Sie allein zurück ohne mich. Aber in Gottes Namen: Machen Sie, dass 10
Sie wegkommen!«

»Sie sind Kanadier«, sagte ich. »Kommen irgendwo aus der Gegend zwischen Quebec und Montreal?«

»Stimmt«, sagte er. »Und Sie aus Europa, aus Skandinavien vielleicht?« 15

»So ungefähr«, sagte ich. »Woher wissen Sie?«

»Ich höre es, merke es«, sagte er. »Sie sind Journalist?«

»Ja«, sagte ich.

»Sehr gut«, lächelte der Mann. »Aber lassen wir 20
das. Nehmen Sie mich jetzt mit?«

»Ich fahre ins Hafendorf«, sagte ich.

»Hafendorf ist hübsch«, sagte der Mann. »Wollen Sie in diesen Tagen zurück nach Europa?«

»Ja«, sagte ich. 25

»Dann müssen Sie umdrehen!«

der Ellenbogen

---

die Narbe, eine alte Wunde
die Lumpen, alte, zerrissene Kleider

»Ich bin die Fahrerei leid«, sagte ich. Sitze seit fünf Wochen im Jeep. Will mich ein paar Tage lang ausruhen, dann weiter nach Norden. Vielleicht verkaufe ich den Jeep hier und fahre mit einem Küstenschiff hinauf in die Staaten und von dort nach Hause.

»Drehen Sie um!«, rief der Mann. Es hörte sich an wie ein Befehl und war darum bei mir die schlechteste Tonart.

»Kann ich Ihnen etwas von meinen Lebensmitteln abgeben?«, fragte ich.

»Je mehr Sie mir geben, umso besser für Sie«, sagte der Mann.

Ich holte hinter mir aus dem Kofferraum einige *Büchsen* mit Fleisch und eine mit Orangensaft. Dann fuhr ich an.

Aber ich hielt noch einmal und gab dem Mann drei Banknoten. In den Städten war das Geld nicht mehr wert als drei Nächte im Hotel.

»Adios«, sagte ich.

»A diablo!«, sagte er. »Und viel Spaß in Soledad!«

Ich fuhr ins Dorf.

Soledad war ärmer als ich dachte. Die Hütten waren alt. Die wenigen Fenster der Häuser waren kaputt. Die vielen Kinder waren nicht besser gekleidet als die Kinder aus den Slums von New York.

Ich fuhr durch bis zum Hafen. Die Straße ging bis zu ihm hin, ja wurde ein Teil von ihm: eine *Mole*, die

die Büchse

das Boot   die Mole

einen halben Kilometer ins Meer ging. Der Hafen war viel größer als das ganze Dorf. Er war so groß wie die größten Häfen an der Westküste. Aber wer kannte schon Soledad? Ich nicht, bevor ich nicht die Landkarte studiert hatte. Zufrieden fuhr ich ins Dorf zurück. 5 Obwohl jetzt nur einige alte Fischer*boote* an der Mole lagen, würde wohl bald ein Schiff in den übergroßen Hafen kommen und mich nach Norden bringen. Das lange Fahren mit dem Jeep hatte ein Ende.

»El Zapatero« hieß das Haus, in dem ich nach 10 einem Zimmer fragte. Es gehörte nicht einem Schuhmacher – für die meisten Einwohner Soledads war »Schuh« ein Fremdwort – sondern dem *Bürgermeister*. In allen Dörfern dieses Landes sind die Bürgermeister auch Gastwirte. 15

»Ich habe auf Sie gewartet, Señor«, sagte der Bürgermeister. »Ich bin Arcibaldo Estreben und Ihr *Diener*.«

»Sie haben auf mich gewartet?«

---

der *Bürgermeister*, das Oberhaupt in einer Stadt
der *Diener*, der Helfer

»Seit zwei Stunden. Da habe ich Ihr Auto bereits am Berg gesehen. Bleiben Sie länger?«

»Bis zum nächsten Schiff, Don Arcibaldo.«

»Sehr gut, Señor. Ich habe den Jeep schon in den
5 *Schuppen* gebracht und bringe Ihnen Ihre Sachen aufs Zimmer.«

Als er meinen Reisesack auf das Zimmer stellte, legte er sehr vorsichtig auch meinen Revolver auf den Sack. Er lag schon seit Wochen unter dem zweiten Sitz
10 im Jeep.

An diesem Abend schlief ich ruhig ein. Die Ruhe brach aber Stück um Stück von mir ab. Don Arcibaldo tat alles, was er konnte, aber die Unruhe wurde größer: Das Schiff kam nicht. Ich eilte täglich mehrere
15 Male zum Hafen, aber der Hafen blieb leer. Mein Geld wurde alle. Um zu sparen, aß ich meine mitgebrachten Lebensmittel. Nach der sechsten Woche begann ich, einzelne Sachen bei Don Arcibaldo in Zahlung zu geben.

20 Dann wurde mein Jeep gestohlen. Don Arcibaldo sagte nur: »Sie hätten mir das Ding doch verkaufen müssen, in zwei, drei Monaten vielleicht.«

»Wann kommt das Schiff?«, fragte ich leise.

»Wir warten, Señor«, sagte Don Arcibaldo.

25 Und wir warteten. Das mit dem Jeep war wie ein Signal. Ich musste weg von diesem kranken Soledad. Zurück über die Berge konnte ich nicht mehr. Es gab nur noch den Weg nach vorn, ins Meer. Die letzte Rechnung bezahlte ich mit dem Revolver.

30 »Nehmen Sie, Don Arcibaldo«, sagte ich. »Das Ding ist gut und gern seine zweihundert Pesos wert.

---

der Schuppen, ein kleines Holzhaus

Und Ihre Rechnung ist auf einhundertzwanzig. Ein gutes Geschäft für Sie. In Ordnung?«

Don Arcibaldo nahm den Revolver und richtete ihn auf mich. »In Ordnung!«, sagte er. »Und jetzt heraus aus Soledad!« 5

»Glauben Sie nicht, dass Sie *unverschämt* sind?«, fragte ich. »Sie nehmen mir alles weg, besitzen meine ganze Habe und jetzt jagen Sie mich auf die Straße.«

---

unverschämt, unhöflich

»Wir sind arm, Señor«, sagte Don Arcibaldo. »Sie dürfen dem Dorf nicht *zur Last fallen*. Wir können in unserer *Abgeschiedenheit* keine Tramps gebrauchen.«

»Abgeschiedenheit?« Ich versuchte zu lachen. »Bei diesem Hafen?«

»Der Hafen ist tot, Señor«, sagte Don Arcibaldo. »Er wurde im letzten Krieg gebaut. In einer Hand voll Tagen hat man ihn ins Meer gebaut. Er sollte ein wichtiger Hafen werden, der Hafen von Soledad. Aber der Krieg ging zu Ende. Wir waren wieder allein.«

»Und es ist jahrelang kein Schiff hierher gekommen?«

»Nie! Was sollen die hier schon machen? Soledad steht nur auf den Landkarten, die im Krieg geheim waren und jetzt in den großen Städten billig verkauft werden. Da haben Sie die Karte doch her, nicht wahr, Señor?«

»Ja«, sagte ich.

»Dann nehmen Sie Ihre Karte und gehen Sie in die Berge. Sie sind kräftig, haben feste Stiefel und Wasser gibt es in den Bergen genug. Das nächste Dorf ist nur vierzehn Tage von hier entfernt. Dort hilft man Ihnen weiter.«

»Eine Frage noch«, sagte ich. »Wovon lebt Soledad?«

Der Alte kam mit dem Revolver näher. »Vom Fischfang«, sagte er. »Manchmal geht etwas ins *Netz*.« Er lächelte. »Zu selten, leider. Davon lebt Soledad, Señor. Davon muss Soledad leben. Comprensible?«

---

zur Last fallen, etwas kosten
die Abgeschiedenheit, die Einsamkeit

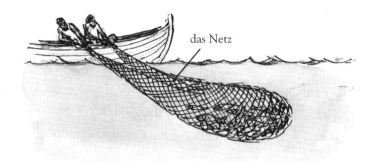

das Netz

»Ja, ich verstehe«, sagte ich, steckte die Landkarte
ein und ging. Auf dem Weg in die Berge hörte ich
bekannte Laute. Aus der Ferne fuhr mein Jeep auf
mich zu. Hinter dem Lenkrad saß mit breitem Grinsen
der Kanadier. Der Mann kam mir jetzt sauberer vor. 5

»Steig ein, Kamerad«, sagte er. »Wenn ich deinen
Jeep nicht *geklaut* hätte, wärst du auch ihn los. Hier
hast du ihn wieder.«

»Wir kommen nicht weit«, sagte ich. Wir haben
nicht genug Benzin. Und dann haben wir kein Geld 10
mehr.«

»Nicht ganz«, sagte der Kanadier. Und er hielt die
drei bunten Banknoten in der Hand. »Außerdem hast
du noch einige Büchsen Fleisch und eine mit Orangensaft.« Der Mann stieg aus, um mich ans Lenkrad zu 15
lassen.

»Übrigens, darf ich mitfahren?«, fragte der Kanadier.

»Idiot«, sagte ich.

Soledad hinter uns wurde ganz klein. 20

---

klauen, stehlen

Fragen

1. Wen trifft der Erzähler vor Soledad?

2. Auf was wartet der Mann in Soledad?

3. Wie geht es ihm dort?

4. Wovon lebt Soledad?

5. Wo findet der Erzähler seinen Jeep?

Dialog ohne *Tannengrün*

der Ausschank

der Schal   der Turban

Kavalam Chandera verlangte eine Flasche Mineralwasser. Bevor die Wirtin Glas und Flasche vor Kavalam auf den nassen Ausschank stellte, sah sie auf den

---

der Dialog, das Gespräch
das Tannengrün, die Zweige vom Weihnachtsbaum

Kopf des jungen Mannes. Kavalam Chandera wusste: sein gelber *Turban*.

Aber einen Augenblick später blickte die Wirtin wieder auf die Arbeit, die sie mit ihren roten Händen
5 zu tun hatte: Sie wusch Biergläser ab.

»Zum Wohl, Herr Türke!«

Kavalam Chandera drehte sich zur Seite. Neben ihm stand der einzige Gast dieser kleinen *Kneipe*, die sich »Zum durstigen *Nachtschwärmer*« nannte. Der
10 junge Inder sah den Mann an. Er sah aus wie jemand, der nur auf ein Glas in die Kneipe kommt und dann am *Tresen* hängen bleibt. Er hatte den schweren Ledermantel aufgeknöpft. Um den Hals hatte er einen breiten *Schal*.

15 »Ein ganz herzliches Prosit, Herr Türke. Und willkommen in unserem Vaterland!«, sagte der Mann im Ledermantel jetzt und hob sein kleines Glas. Erst als er getrunken hatte, bemerkte der Mann, dass der Glasrand an einer Stelle kaputt war. Der Mann lachte und
20 sagte zum Inder: »Entschuldigen Sie schon vielmals, Herr Türke, dass ich Ihnen mit einem kaputten Glas den Willkommenstrunk getrunken habe. Und das am Weihnachtsabend. Aber die Frau Wirtin hat mir kein besseres gegeben. Entschuldigen Sie. Vielmals. Wie
25 gesagt.« Der Mann blickte auf die Wirtin.

Die Frau hinter dem Ausschank lachte, nahm ein neues Glas und füllte aus einer Flasche das Gläschen voll.

---

der Turban, der Schal, siehe Zeichnung auf Seite 69
die Kneipe, ein sehr einfaches Gasthaus
der Nachtschwärmer, jemand, des nachts gerne ausgeht
der Tresen, der Ausschank, siehe Zeichnung aug Seite 69

»Geht auf meine Kosten. Ist ja schließlich Weihnachten.«

»Danke«, sagte der Mann. »Aber man merkt es gar nicht.«

»Was merkt man nicht?«, fragte die Wirtin. 5

»Dass es Weihnachten ist. Sie haben keinen Tannenbaum, nicht einmal ein bisschen Tannengrün.«

»Das wird hier sofort trocken und *nadelt*. Dann hängen nur noch die Zweige an den Wänden. Sieht nicht gut aus. In Nazareth gab es schließlich damals auch 10 kein Tannengrün, oder?«

Die Frau war froh, dass sie daran gedacht hatte. »Oder?«, fragte sie noch einmal.

»Nein, das gab es wohl nicht in Nazareth«, sagte der Mann im Ledermantel. 15

»Gibt es das bei Ihnen, Herr Türke?«

»Was?«, fragte der Inder.

»Tannengrün?«

»Ja. In den Bergen. Im Norden.«

»So«, sagte der Mann im Ledermantel. »Dann 20 feiern Sie doch sicher auch Weihnachten mit Tannengrün?«

»Nein«, sagte der Inder.

»Wie, Sie haben Weihnachten ohne Tannengrün?«

»Nein«, lächelte der Inder. »Wir haben Tannen- 25 grün ohne Weihnachten.«

»Aha! – Ja, in der Türkei ...«, sagte der Mann im Ledermantel.

»Nein, bei uns in Indien«, sagte der Inder.

»So, gar nicht Türkei?«, fragte der Mann. »Hm, 30 Indien«, sagte er. »Das liegt doch auch – da unten.«

---

nadeln, die »Blätter« vom Weihnachtsbaum fallen ab

71

Und der Daumen des Mannes zeigte über die Leder-
schulter in die Ferne.

»Naja – da unten – schon«, lächelte der Inder und
machte die Bewegung des Mannes nach.

5 »Ich meine«, sagte der Mann und fuhr sich mit dem
Schal durch das Gesicht, »ich meine – da unten in der
Türkei tragen die Leute doch auch so einen – Turban
wie Sie.«

Als der Mann merkte, dass er wieder etwas Falsches
10 gesagt hatte, versuchte er mit einem einzigen Wort –
das er wie ein Messer gebrauchte – aus dem sprachli-
chen Dunkel hinauszukommen. »Prost!«, rief er und
hielt sein Glas dem Inder entgegen. »Prost, Herr Tür...,
Herr Inder, lassen Sie uns trinken!«

15 »Darf man das? Prosten mit Mineralwasser?«, fragte
Kavalam Chandera vergnügt.

»Ich lade Sie zu einem doppelten Wodka ein«, sagte der Mann.

»Nein, danke sehr«, sagte der Inder. »Keinen Alko-
20 hol, bitte. Ich muss jetzt gehen.«

»Darf man fragen, wohin?«

»Zu einer Weihnachtsfeier bei der Familie meines
Chefs, Direktor Eschlohe. Ich bin in seiner Fabrik.«

»Hui, Direktor«, sagte der Mann im Ledermantel.

25 »Der Eschlohe hat sein Haus keine hundert Meter
von hier«, sagte die Wirtin.

»Ich weiß«, sagte der Inder. »Ich war vorhin schon
an der Gartentür. Aber vor Aufregung ist mir der Hals
trocken geworden. Darum habe ich das Mineralwasser
30 bestellt.«

»Na dann!«, sagte die Wirtin und füllte das brausen-
de Wasser aus der Flasche ins Glas. »Sehr zum Wohl!«

»Prosit«, sagte der Inder leise und nahm langsam das Glas.

Jetzt erschraken die Wirtin und der Ledermantelmann. Beide Arme des Inders waren *bogig* und krumm. Nur die Hände waren gesund.

Kavalam Chandera trank und ließ dem Mann und der Wirtin dabei Zeit, ihre Schrecken zu verlieren.

»Ich muss jetzt gehen«, sagte der Inder.

»Einen schönen Abend wünsche ich Ihnen«, sagte die Wirtin.

»Einen schönen Weihnachtsabend«, sagte der Mann.

»Das wünsche ich auch Ihnen«, sagte der Inder.

Als er bezahlen wollte, winkte die Wirtin ab.

»Weihnachtsgeschenk«, sagte sie. Der Inder nickte und ging.

Grüner Schreibtisch, zwei Schränke, ein Bücherbrett und an der Wand ein Bild von einem Kind. Das waren außer drei *Sesseln* ohne *Lehnen* die einzigen Möbel von Eschlohes Arbeitszimmer, in das der Direktor den jungen Inder hineingebeten hatte. Kavalam Chandera war überrascht. Er hatte sich den Raum anders gedacht, mit viel mehr Luxus.

»Wir haben noch eine Viertelstunde für uns«, sagte Eschlohe.

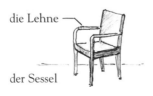

die Lehne

der Sessel

bogig, rund

73

»Meine Frau und die Töchter schmücken im Wohnzimmer den Baum und bereiten das Fest vor. Darf ich Ihnen bis dahin etwas geben, Herr Chandera? Kognak, Martini?«

5 »Nein, danke«, sagte der Inder. »Ich bin Mohammedaner.«

»Entschuldigen Sie«, sagte Eschlohe. »Sie erlauben, dass ich mir etwas nehme? War ein harter Vormittag. Ich war noch in der Fabrik. Die Arbeitseinteilung für
10 die Feiertage war noch nicht in Ordnung.«

Kavalam Chandera sah den Direktor an, als er zum Schrank ging und dort eine kleine Flasche herausnahm. Eschlohe sah aus wie dreißig, obwohl er sicher schon fünfzig Jahre alt war.

15 »Aber Sie rauchen doch eine Zigarette mit mir, Herr Chandera, oder eine Zigarre?«

»Zigarette, gern«, sagte der Inder.

74

Als beide rauchten und Kavalam Chandera mit den Ellenbogen nach den Sessellehnen suchte, stand Eschlohe blitzschnell auf.

»Entschuldigung, ich hätte daran denken sollen«, sagte Eschlohe.

»Ihre kranken Arme. Ich hole Ihnen einen besseren Sessel.«

»Nein, bitte, das macht nichts. Ich sitze gut«, sagte der Inder schnell.

»Wirklich?«

»Wirklich«, sagte Kavalam Chandera.

Eschlohe setzte sich langsam wieder hin. »Ein Arbeitszimmer ist ein Arbeitszimmer«, sagte Eschlohe. »Darum habe ich nichts hineinstellen lassen, was auf andere Gedanken bringt. Luxus tötet die Arbeitslust. Gefühle auch. Darum habe ich kein Tannengrün in diesem Zimmer. Das haben Sie im vorweihnachtlichen Deutschland wohl noch nicht gesehen, Herr Chandera, einen Raum ohne Tannengrün?«

»Doch«, sagte der Inder.

»Dann haben Sie etwas höchst Seltenes gesehen«, sagte Eschlohe. »Aber Sie haben ja scharfe Augen. Ich möchte Ihnen das gern sagen. Die Vorschläge, die Sie im Oktober gemacht haben, alle Achtung! Ich bewundere Ihre Augen, die manches in der Fabrik so scharf sehen. Und – Ihre Hände, die Verbesserungen so gut zeichnen können.«

»Danke«, sagte der Inder.

»Manchmal ...«, Eschlohe trank und fing noch einmal an: »Manchmal habe ich mich auch gefragt, wie Sie das – schaffen, ich meine – rein physisch – die genauen Zeichnungen mit – mit Ihren kranken Armen.«

Hoffentlich hört er bald auf, so zu sprechen, dachte der Inder. Und hoffentlich fragt er nicht.

»Wie ist das eigentlich passiert mit Ihren Armen, Herr Chandera?«, fragte Eschlohe. »War sicher ein Unfall?« Eschlohe fragte weiter.

»Kein Unfall«, sagte der Inder.

»Sondern?«, fragte Eschlohe.

Unweihnachtliche Fragen, dachte der Inder. Fragen, auf die es nur unweihnachtliche Antworten gibt. Soll er sie haben! Und Kavalam Chandera sagte:

»Bettlerfabrik.«

»Was ist das?«, fragte Eschlohe.

»Als Kind wurde ich in eine solche Bettlerfabrik verkauft. Von meinen Eltern, die mit meinen sechs Geschwistern am Rande des Verhungerns lebten. Für fünfzig Rupies, das war damals der Preis für ein Schaf. Und für ein Kind, das zu viel war. Soll ich weitererzählen?«

Eschlohe machte seine halbgerauchte Zigarette aus, als habe er ein gefährliches Tier zu töten. »Ja«, sagte er dann bestimmt. »Sprechen Sie weiter.«

»Wie Sie wollen«, sagte der junge Inder. »Für das Geld, das für meine Familie einen Monat Weiterleben bedeutete, kam ich in eine Bettlerfabrik in Kalkutta. Ich war sehr dünn, aber normal gewachsen. Zu normal, um das Gefühl der Weißen von Kalkutta wecken zu können. Darum ließ man meine Arme so bogig und krumm wachsen, dass dieses Mitgefühl kommen sollte. Nur die Hände ließ man ganz, damit dort das Geld hineinfallen konnte. Das musste ich zweimal am Tag

---

der Unfall, das Unglück

76

beim Chef abgeben. Dann bekam ich einmal am Tag eine Hand voll Reis und ein Stück Fisch.«

»Schrecklich«, sagte Eschlohe.

»Ich war noch zufrieden«, sagte der Inder. »Den anderen Bettlern ging es meistens schlechter.« 5

»Aber – wie sind Sie denn schließlich da herausgekommen?«, fragte Eschlohe.

»Die Arme taten mehr als ihren Zweck. Eine Engländerin, die Frau eines *Architekten*, nahm mich von der Straße. Das Mitgefühl dieser Dame war an diesem 10
Tag besonders stark. Es war Weihnachten. Bis dahin kannte ich weder dieses Fest noch unsere eigenen. Ich durfte mich sattessen, die Schule besuchen, durfte

---

der Architekt, der Baufachmann

77

wachsen. Nur die Arme wuchsen nicht mehr. Später, als die Engländer dieses Land verließen, war ich schon zu gut ausgebildet: Der Staat wollte nicht auf mich verzichten. Ich kam auf die Universität und wurde dann nach Deutschland geschickt, um noch mehr zu lernen. Und jetzt Weihnachtsfeier bei Herrn Direktor Eschlohe und Familie.«

Kavalam Chandera hatte seinen Lebenslauf beendet. Er stand auf.

»Ich habe immer noch Angst vor diesem Tag, vor Ihrem Weihnachtsfest. Meine Arme tun mir weh an diesem Fest und noch einiges mehr.«

»Ich wollte Ihnen nicht wehtun, Herr Chandera, mich interessierte nur ...«

»Sie brauchen sich nicht zu entschuldigen, Herr Eschlohe. Sie haben gefragt und ich habe geantwortet. Das ist alles. Und wenn ich jetzt gehe, werden Sie das verstehen. Sie feiern leicht Weihnachten. Ich sehr schwer. Ich wünsche Ihnen einen angenehmen Weihnachtsabend.«

»Bitte ...« Eschlohe wollte ihn mit ein paar Worten zurückhalten. Mit ein paar richtigen Worten. Aber da er sie nicht schnell fand, sagte er gar nichts.

Als Kavalam Chandera in die Kneipe »Zum durstigen Nachtschwärmer« zurückkam, stand der Mann im Ledermantel noch immer da. Der Inder stellte sich zu ihm.

Fragen

1. Wie sieht Kavalam Chandera aus?

2. Wer ist noch in der Kneipe?

3. Was trinkt er?

4. Welches Fest wird heute gefeiert?

5. Wer ist Eschlohe?

6. Was ist mit den Armen des Inders geschehen und wie ist es passiert?

7. Wie kam der Inder nach Deutschland?

8. Warum kann er nicht mit Eschlohe Weihnachten feiern?

9. Wohin geht er, als er von Eschlohe kommt?

HE HENLEY COLLE